Ciekawe dlaczego

Zamki miały fosy

i inne pytania na temat średniowiecza

Philip Steele

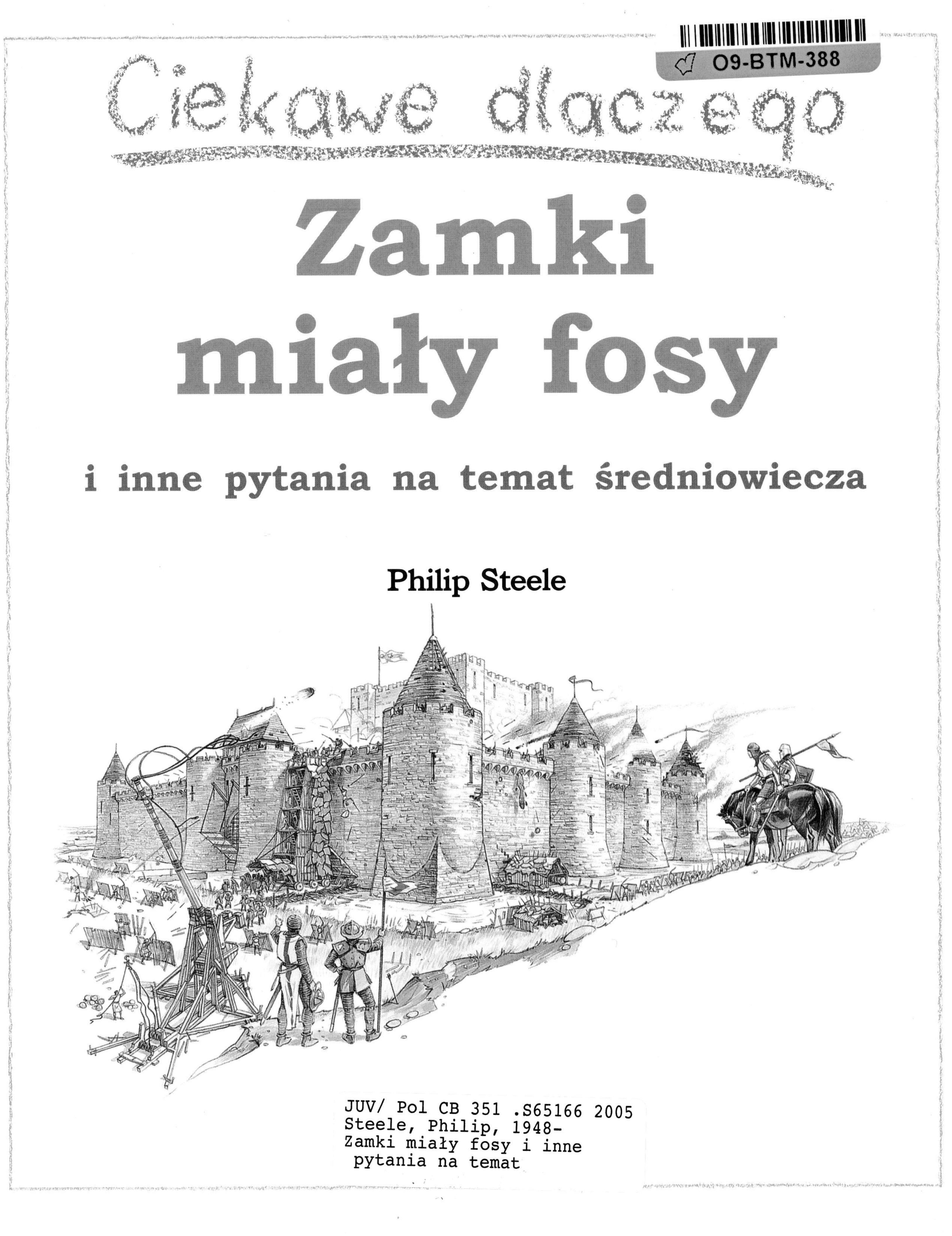

Tytuł oryginału: Castles Had Moats
Published by arrangement with Kingfisher
Publication plc.

ISBN 83-7423-286-2
ISBN 13: 978-83-7423-286-9

Autor: Philip Steele
Ilustracje na okładce: Nicki Palin, rysunki: Tony Kenyon (B.L. Kearley Ltd).
Ilustracje: Chris Forsey 4–5, 21; Terry Gabbey (Eva Morris) 8–9, 12–13; Nick Harris (Virgil Pomfret Agency) 6–7, 14–15, 24–25; Adam Hook (Linden Artists) 6, 10, 14, 15, 16, 20, 22–23, 24, 25, 30; Christa Hook (Linden Artists) 10–11; David Mitcheson 18, 30–31; Stephen Holmes 19, 23; Nicki Palin 20–21, 27, 28; Tony Smith (Virgil Pomfret Agency) 26–27; Tony Kenyon (B.L. Kearley) – kreskówki; Ross Watton (Garden Studio) 28, 29.

Przygotowanie do druku: K&OLECH
Druk: Legra Sp z o.o.

Wydawca: Firma Księgarska Jacek i Krzysztof Olesiejuk – Inwestycje Sp. z o.o.
05-850 Ożarow Mazowiecki
ul. Poznańska 91

SPIS TREŚCI

Kiedy było średniowiecze?

Lata pomiędzy światem starożytnym i światem nowożytnym w Europie nazywamy średniowieczem. Średniowiecze rozpoczęło się po roku 470, kiedy dobiegły końca rządy Rzymian, a zakończyło po roku 1450.

● Rzymianie rządzili niegdyś większością Europy i Afryki Północnej. Potem jednak pokonali ich dzicy i nieustraszeni wojownicy, którzy podzielili ziemie rzymskie na wiele małych królestw. Około roku 1450 w Europie znów istniały duże państwa, podobne do współczesnych.

● Powyższa mapa przedstawia ludy i miejsca opisywane w tej książce.

● W średniowieczu nikt nie wiedział, jak wygląda cały świat.

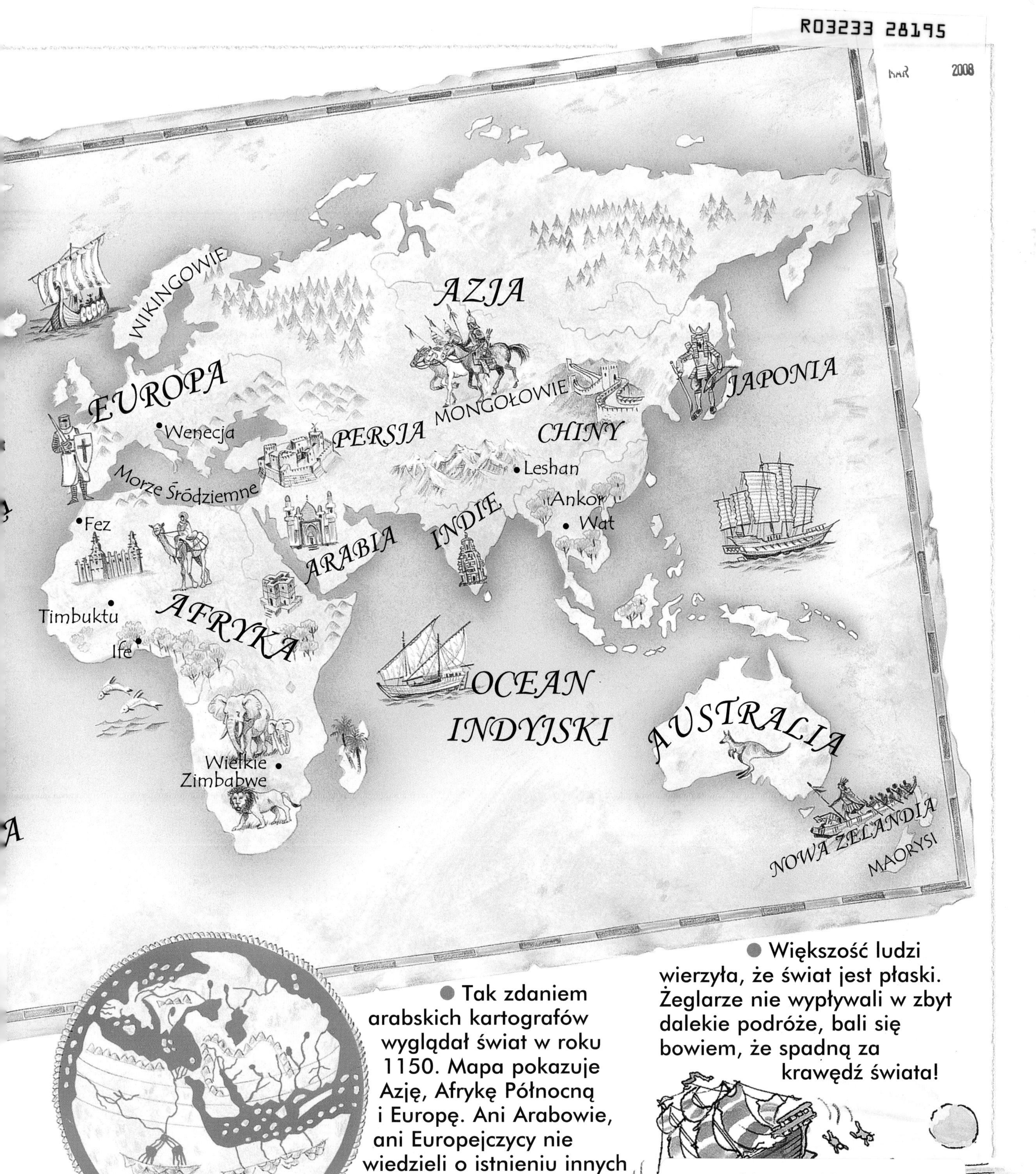

● Tak zdaniem arabskich kartografów wyglądał świat w roku 1150. Mapa pokazuje Azję, Afrykę Północną i Europę. Ani Arabowie, ani Europejczycy nie wiedzieli o istnieniu innych części świata.

● Większość ludzi wierzyła, że świat jest płaski. Żeglarze nie wypływali w zbyt dalekie podróże, bali się bowiem, że spadną za krawędź świata!

Dlaczego królowie i królowe nosili korony?

W średniowieczu królowie mieli znacznie większą władzę niż dzisiaj. Ustanawiali prawo, a wszyscy musieli stosować się do ich poleceń. Lśniąca złota korona była jak odznaka – pokazywała, jak ważny jest król czy królowa.

● W dzisiejszych czasach w wielu krajach prawo jest ustanawiane przez grupę ludzi zwaną parlamentem, a nie przez króla czy królową.

Król i królowa

Arystokraci i biskupi

Rycerze

Mieszczanie

Chłopi

● Król mówił arystokratom, co mają robić. Arystokraci mówili rycerzom, co mają robić. Wszyscy mówili biednym chłopom, co mają robić.

● Władca ludu Inków z Ameryki Południowej był nazywany Sapa Inka. Jego korona była wykonana ze złota i piór, a tunika i płaszcz z delikatnej wełny.

Dlaczego chłopi się buntowali?

Biedni ludzie często wzniecali bunt i walczyli przeciwko swojemu władcy. Próbowali w ten sposób wywalczyć sobie lepsze, godniejsze życie.

● Chłopi musieli co rok oddawać swojemu lokalnemu władcy pieniądze lub jedzenie – nawet jeśli często sami chodzili głodni.

● Europejscy królowie i królowe często otrzymywali zabawne przydomki. Niektórzy władcy byli dobrzy, inni źli, a jeszcze inni po prostu brzydcy!

Malcolm Wielkogłowy
król Szkocji

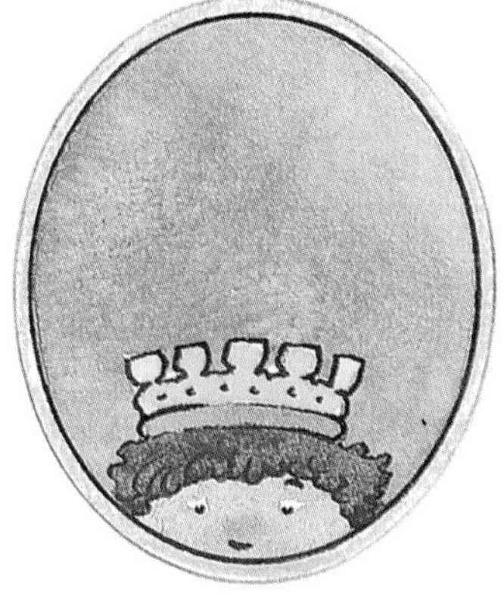

Władysław Łokietek
król Polski

Emanuel Szczęśliwy
król Portugalii

Dlaczego zamki miały fosy?

Fosa to głęboki i szeroki rów wypełniony wodą, który utrudniał wrogom dostęp do zamku. Goście mogli dostać się do zamku po moście zwodzonym, przerzuconym nad fosą. Kiedy jednak zbliżali się wrogowie, most był podnoszony.

- Szpiegów i zdrajców więziono w zamkowych lochach, ciemnych, wilgotnych, pełnych szczurów i pająków!

- Jednym ze sposobów zdobycia zamku było otoczenie go i cierpliwe czekanie! Kiedy w zamku kończyły się zapasy jedzenia i wody, oblężeni musieli się poddać.

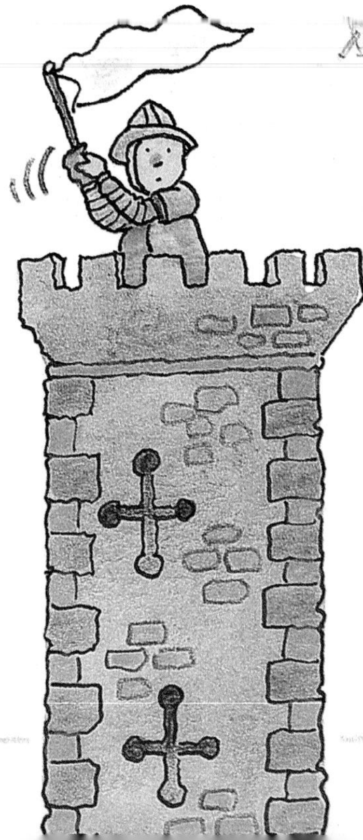

Wokół miast i miasteczek budowano potężne kamienne mury, które miały chronić mieszkańców przed napaścią wrogów. Rysunek po prawej ukazuje Wielkie Zimbabwe – otoczone murem miasto, założone około roku 1000 przez lud Szona z południowej Afryki.

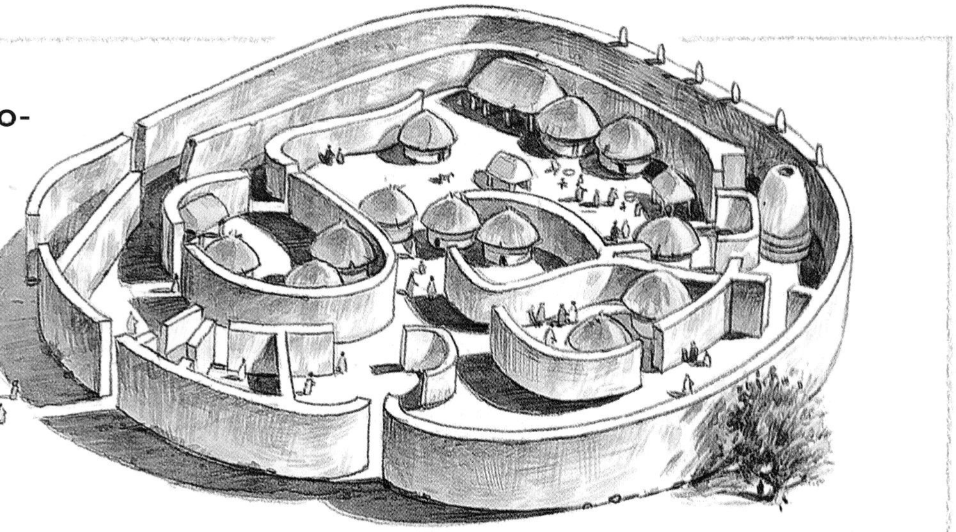

Pueblo Bonito było jednym z warownych miast zbudowanych przez lud Anasazi z Ameryki Północnej między rokiem 950 a 1300.

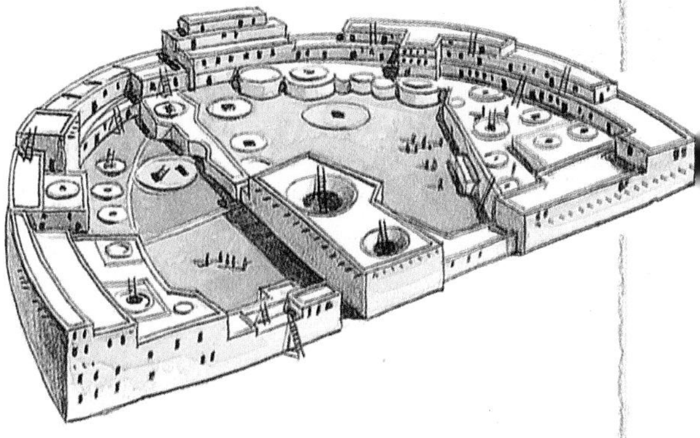

W XIV wieku ludzie w Europie nauczyli się wytwarzać armaty. Dzięki nim łatwiej było niszczyć oblegane zamki – pod warunkiem, że kula wypadała z właściwej strony!

Dlaczego rycerze nosili zbroje?

Podczas bitwy rycerze byli narażeni na ciosy i uderzenia mieczy, toporów, strzał, długich ostrych lanc i metalowych maczug. Dla ochrony swojego ciała nosili zbroje z twardego metalu.

Aż do XIII wieku większość rycerzy nosiła kolczugi, czyli zbroje wykonane z połączonych ze sobą metalowych pierścieni. Później zbroje były wykonywane z solidnych metalowych płyt.

Pod koniec średniowiecza rycerz wyglądał jak wielka puszka na nogach – był całkowicie pokryty metalem!

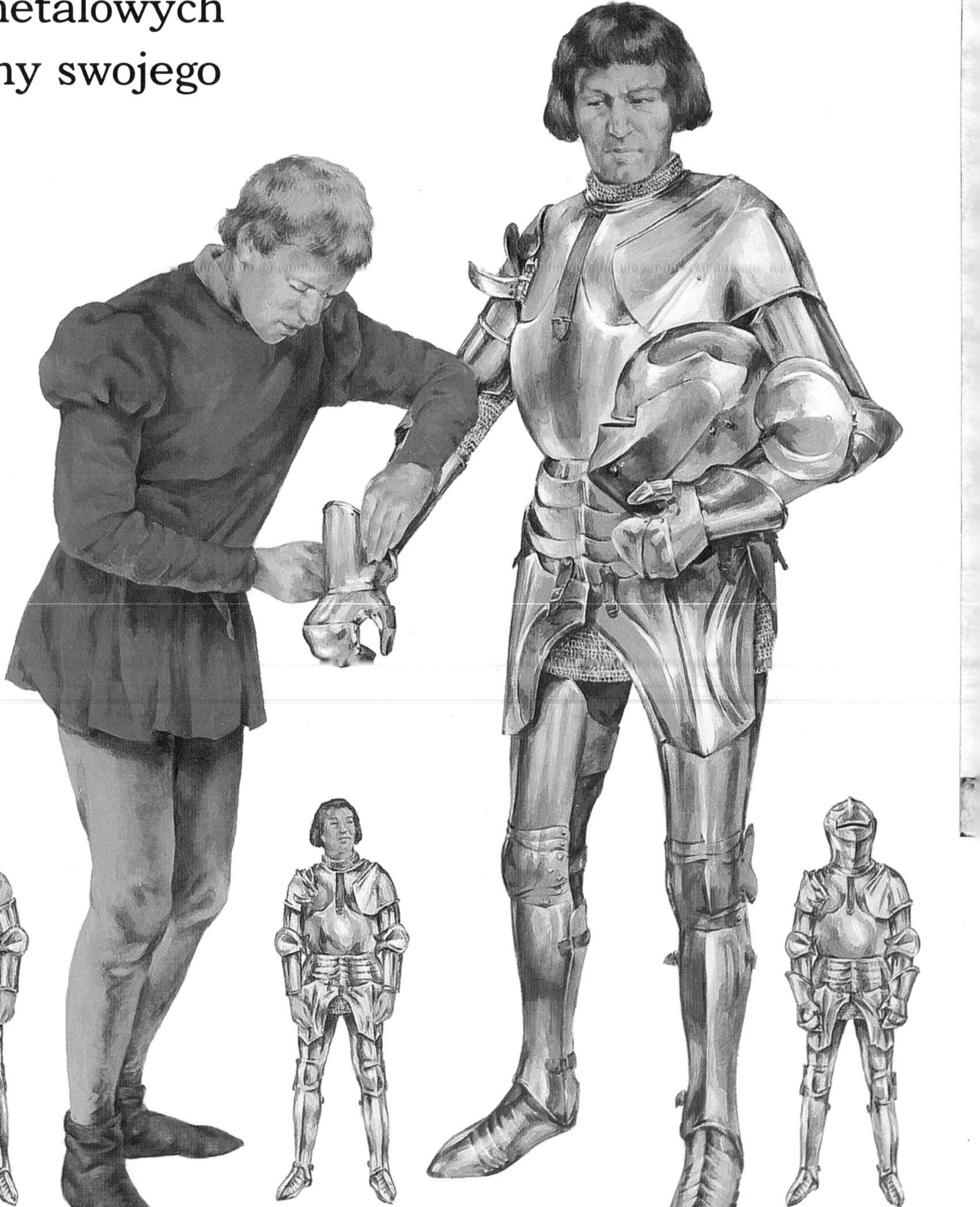

Zakładanie zbroi nie było łatwe. Giermek, czyli chłopiec, który uczył się rycerskiego rzemiosła, pomagał rycerzowi przygotować się do bitwy.

Zbroja nie była zbyt wygodna, rycerze zakładali więc pod nią grube ubrania.

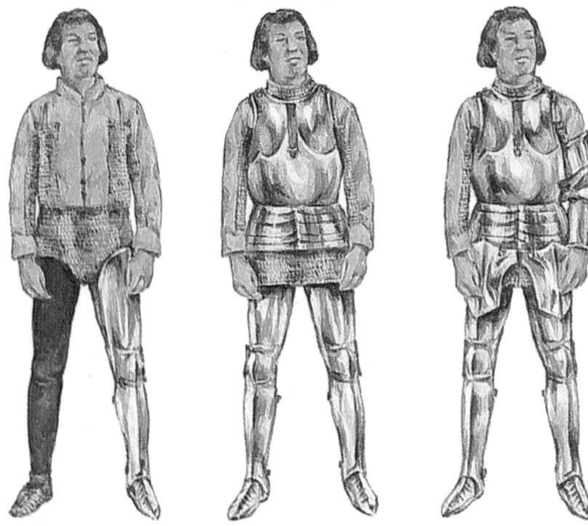

Japońscy rycerze nazywali się samurajami. Ich zbroja była wykonana z metalowych płyt, przymocowanych do ubrań z jedwabiu i skóry.

W wielu częściach świata żołnierze używali łuków i śmiercionośnych strzał.

Walijski łucznik

Turecki kusznik

Aztecki wojownik

Mongolski łucznik

Samuraj zawsze brał przed bitwą kąpiel. Wiedział wtedy, że jeśli umrze, będzie czysty i pójdzie prosto do nieba.

Dlaczego kościoły mają wieże?

Dzięki wieżom kościoły wyglądają tak, jakby wskazywały prosto na niebo. Także w średniowieczu ludzie na całym świecie okazywali miłość do swego Boga, budując piękne kościoły, meczety czy inne świątynie.

● Nawet kościelne dachy i rynny były bogato zdobione. Często wyloty rynien były zakończone rzeźbami szpetnych głów, zwanymi gargulcami. Woda wypływała prosto z ich ust.

● Największym budynkiem religijnym na świecie jest buddyjska świątynia Angkor Wat w Kambodży, zbudowana w XII wieku. Na jej terenie zmieściłoby się 8317 kortów tenisowych!

● Budowniczowie kościelnych wież i iglic pracowali wysoko nad ziemią, na maleńkich drewnianych pomostach. To musiało być bardzo niebezpieczne!

Dlaczego meczety mają minarety?

Minaret to wysoka smukła wieża, będąca częścią meczetu – budynku, w którym muzułmanie modlą się do Boga. On także wskazuje na niebo. Na szczycie minaretu znajduje się balkon, z którego człowiek zwany muezinem wzywa ludzi na modlitwę.

● W 803 roku robotnicy zakończyli rzeźbienie siedemdziesięciometrowego posągu Buddy w klifach obok miasta Leshan w Chinach. Na jednym paznokciu u nogi posągu może usiąść wygodnie dwoje ludzi! Budda (Siddhartha Gautama) był wielkim religijnym nauczycielem, który urodził się w Indiach ok. roku 560 p.n.e.

Kto nosił wieżę na głowie?

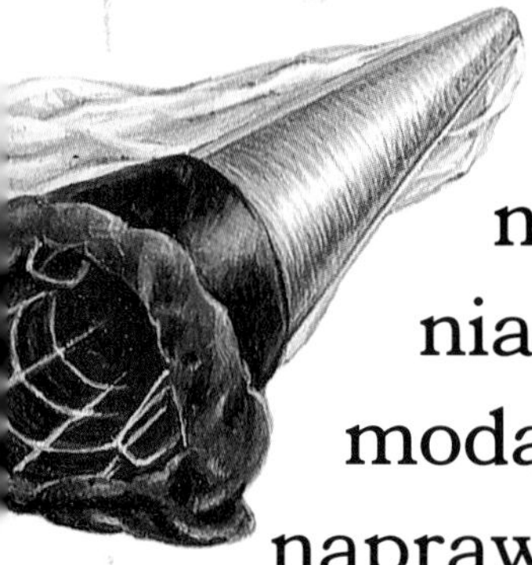

Nakrycia głowy w średniowiecznej Europie zmieniały się wraz z aktualną modą, a niektóre miały naprawdę przedziwne i cudowne kształty. W XV wieku kobiety zaczęły nosić czapki zwane hennin, które kształtem przypominały wieże kościelne. Przejście przez drzwi musiało być czasami dość trudne – niektóre henniny miały prawie metr wysokości!

● W średniowieczu nie było sklepów sprzedających gotowe ubrania. Bogaci ludzie zamawiali ubrania u krawca, biedni robili je sobie sami.

● Niektóre kapelusze wyglądały jak zwierzęce rogi, inne przypominały skrzydła motyla.

● Ludzie popisywali się swoim bogactwem, nosząc kosztowne ubrania i biżuterię. Najlepsze materiały pochodziły z Włoch, Hiszpanii i ze Wschodu.

● Niektórzy francuscy rycerze, by uciec przed wrogiem, musieli obciąć czubki butów, inaczej bowiem nie mogliby biec!

● Widzieliście kiedyś buty z takimi czubkami? Były one tak długie, że musiano je przywiązywać do nogi właściciela! Takie buty były szalenie modne około 600 lat temu.

Kto nosił buty na platformach?

Ulice były tak błotniste, że bogate damy zaczęły nosić buty na wysokich podeszwach. Służące często musiały podtrzymywać swe panie, kiedy te przechadzały się po mieście!

Dlaczego ludzie jedli palcami?

Europejczycy używali do jedzenia noży i łyżek, gdyż nie znali widelców. Zarówno bogaci, jak i biedni podnosili jedzenie do ust palcami. Podczas uczt służący roznosili ryby i mięso podzielone na drobne kawałki, łatwo więc było je utrzymać, chyba że były pokryte śliskim sosem!

● Woda w mieście była zazwyczaj brudna i pełna zarazków, dobrze więc, że większość ludzi piła tylko wino lub piwo!

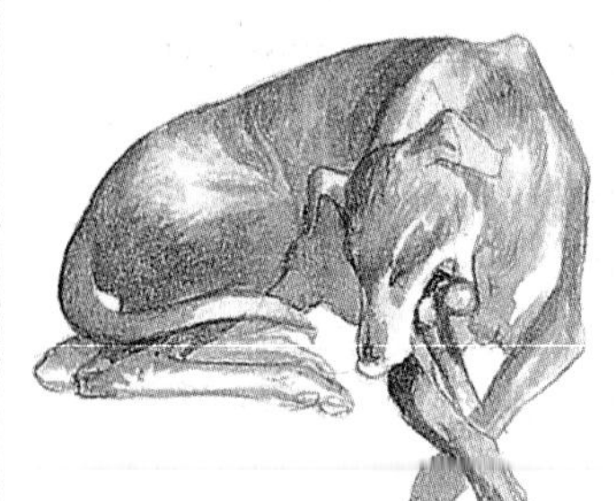

● Dobrze wychowani ludzie rzucali resztki jedzenia na podłogę, dla psów.

● Królewska uczta czasami kończyła się jakąś niezwykłą pieczenią. Po jej rozkrojeniu, ze środka wyskakiwali muzycy lub jakieś dziwne zwierzęta.

● Do XV wieku większość ludzi nie jadła z talerzy. Zamiast nich używano grubej kromki chleba, którą czasami na koniec zjadano.

Biedni ludzie nie mieli urozmaiconego jedzenia. Większość jadła ciemny chleb z mąki żytniej lub jęczmiennej, kaszę owsianą lub gulasz warzywny.

Czy ludzie jedli ziemniaki?

Inkowie z Ameryki Południowej hodowali i jedli ziemniaki. Dopiero w XVI wieku podróżnicy przywieźli do Europy ziemniaki i wiele innych warzyw z obu Ameryk.

Inkowie hodowali jako pożywienie pewien gatunek świnki morskiej, tak jak rolnicy w innych krajach hodują zwykłe świnie. W Peru nadal jada się świnki morskie.

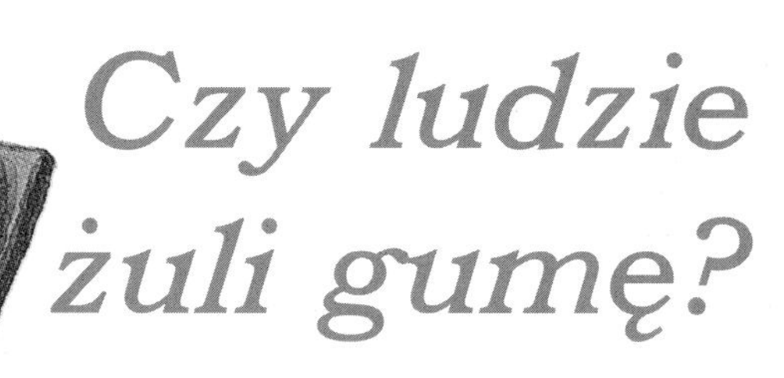

Czy ludzie żuli gumę?

Majowie z Ameryki Środkowej żuli miękką gumę, którą nazywali chicle. Zbierali ją z drzew zwanych sapodilla.

Czym były garderoby?

Zamkowe toalety nazywano garderobami. Zazwyczaj budowano je wysoko na murach – wszystko spadało do fosy albo do cuchnącego szamba, które od czasu do czasu musiał oczyścić jakiś pechowy służący.

- W średniowieczu nie było zbyt wielu toalet. Większość ludzi w miastach używała nocników, a potem wyrzucała ich zawartość prosto na ulicę.

Czy ludzie się kąpali?

Ludzie na całym świecie mieli różne podejście do czystości, ale Europejczycy w owym czasie niezbyt lubili się myć. Ludzie, którzy mieli pieniądze, mogli zapłacić za wizytę w publicznych łaźniach. Tylko bardzo bogaci mieli własne łazienki. Do mycia się używali drewnianych balii, więc musieli uważać na drzazgi!

● Południowi Europejczycy zaczęli używać mydła w VIII wieku. Musiało upłynąć jeszcze sporo czasu, nim ludzie z północy zaczęli się naprawdę myć!

● Tak wygląda pod mikroskopem pchła.

Czym była „czarna śmierć”?

„Czarna śmierć” to nazwa straszliwej choroby – dżumy. W ciągu trzynastu lat dżuma zabiła jedną trzecią ludności Europy i Azji. Wymierały całe wsie i miasteczka.

● „Czarna śmierć” pojawiła się około roku 1348 i rozprzestrzeniła z Azji do Europy, przeniesiona przez szczury. Szczury miały maleńkie pchły, które gryząc ludzi przenosiły zarazę.

Czy dzieci musiały chodzić do szkoły?

W średniowieczu nie było zbyt wielu szkół, a większość dzieci nigdy do szkoły nie chodziła. Czasami szkoły były prowadzone przez kościół, meczet czy inną świątynię. Dzieci chodziły tam uczyć się głównie religii. Tylko nieliczne uczyły się czytania i pisania.

- Niektórzy chłopcy, rzadziej dziewczęta, uczyli się rzemiosła, takiego jak rzeźnictwo czy handel. Uczniowie tacy nazywali się terminatorami.

- Studenci uczęszczali na uniwersytet Al-Karawijjin, w mieście Fez w Maroku, od 859 roku.

- Choć tylko nieliczne dziewczęta chodziły do szkoły, w średniowieczu tworzyło kilka znanych pisarek. Christine de Pisan z Francji żyła w XV wieku. Jako jedna z pierwszych pisała o poprawie sytuacji kobiet.

RZYMSKIE	I	II	III	IV	V	VI	VII	VIII	IX	X
HINDUSKIE (INDIE)	१	२	३	४	५	६	७	८	९	१०
WSPÓŁCZESNE ARABSKIE	١	٢	٣	٤	٥	٦	٧	٨	٩	١٠
ŚREDNIOWIECZNE EUROPEJSKIE	1	2	3	4	5	6	7	8	9	10
WSPÓŁCZESNE	1	2	3	4	5	6	7	8	9	10

- Na początku XV wieku 2000 chińskich uczonych napisało największą encyklopedię, jaka kiedykolwiek powstała na świecie. Miała 22 937 rozdziałów. Nawet gdyby ktoś czytał jeden rozdział dziennie, potrzebowałby ponad 60 lat, by przeczytać całość.

- Arabowie zapisywali liczby w sposób, który został zapoczątkowany w Indiach. Europejscy uczeni zaczęli ich naśladować i przestali używać starych rzymskich cyfr.

Dlaczego Inkowie wiązali supełki?

Inkowie nie mieli języka pisanego. Zamiast pisma używali długich kolorowych sznurków, które nazywali kipu. Supły wiązane na kipu pozwalały im liczyć i zapamiętywać różne rzeczy.

- Tylko nieliczne szlachetnie urodzone dzieci inkaskie uczyły się, jak używać kipu. Dziś nawet najmądrzejsi naukowcy mają problemy z rozszyfrowaniem tego kodu!

Dlaczego książki były zakute w łańcuchy?

Książki były rzadkością, bo każdą z nich pisano odręcznie – aż do XV wieku nie było maszyn, które mogłyby szybko je drukować. Książki były więc bardzo kosztowne i dlatego przykuwano je łańcuchami, by nikt nie próbował ich ukraść.

● Mnisi pisali książki gęsimi piórami, które maczali w atramencie. Godzinami zdobili każdą stronę, używając do tego różnobarwnych farb, a nawet maleńkich okruchów złota.

● Chińczycy byli pierwszymi ludźmi, którzy drukowali książki zamiast je przepisywać, a zaczęli to robić około 1300 lat temu. Używali drewnianych bloków.

● W Europie druk powstał około roku 1440, kiedy pewien Niemiec, Johann Gutenberg, zbudował prasę drukarską. Używał do druku metalowych czcionek.

Dlaczego trudno było odmierzać czas?

Istniały zegary, które odmierzały czas kroplami wody, zamarzały jednak w zimie. Używano też świeczek, które spalały się bardzo powoli i w ten sposób odmierzały upływ czasu, często jednak gasły. Były też zegary słoneczne, w których cień wskazówki określał godzinę – ale tylko wtedy, kiedy niebo nie było zachmurzone!

● Na szczęście wynaleziono w końcu zegar, który tykał! W zegarach takich wykorzystywano ciężarki i koła zębate.

● Kołowrotek do przędzenia nici przywędrował do Europy z Chin i Indii około roku 1200. Ułatwiał on ludziom życie – obracanie koła było znacznie łatwiejsze niż kręcenie wrzecionem.

● Europejczycy dopiero pod koniec XII wieku zaczęli budować wiatraki, które mełły ziarno na mąkę. Persowie robili to już od stuleci.

Skąd pochodzi porcelana?

Z Chin, oczywiście. Wyroby garncarskie powstawały na całym świecie, lecz najdelikatniejszy gatunek ceramiki wynaleziono w Chinach.

● Prawdopodobnie to jakiś wenecki robotnik odkrył, że kawałki szkła mogą pomóc ludziom z wadami wzroku widzieć lepiej.

Co nadmuchiwano w Wenecji?

Wenecja była znana z doskonałej jakości szkła, które powstaje z roztopionego piasku i innych materiałów. Kształtuje się je wtedy, kiedy jest jeszcze gorące i miękkie. Dmuchacze nadmuchują je niczym balon, przez długą żelazną rurkę.

● Lud Chimu z Ameryki Południowej wykorzystał złoto i turkusy do wyrobu tego noża. Kapłani używali go podczas uroczystości religijnych. Kraj Chimu w XV wieku podbili Inkowie.

● Członkowie ludu Joruba, którzy żyli w królestwie Ife w zachodniej Afryce, byli świetnymi metalurgami. Ta rzeźba z brązu powstała w XIV wieku i przedstawia głowę króla.

Dlaczego artyści rozbijali jajka?

W średniowieczu nie było sklepów sprzedających gotowe farby w tubkach, więc artyści musieli wyrabiać je sobie sami. W Europie najpopularniejsza była tempera, czyli farba, do której dodawano żółtko jajka i wodę.

Dlaczego nie wolno było grać w piłkę?

W średniowieczu nie grano w piłkę tak jak dzisiaj, czyli na boisku, w dwóch drużynach – chłopcy po prostu biegali z piłką po ulicach, wrzeszcząc, kopiąc i przewracając ludzi. Było to tak uciążliwe, że w 1314 roku król Anglii, Edward II, zabronił gry w piłkę w Londynie.

● Piłki do gry wyrabiano ze świńskich pęcherzy.

● Aztekowie i Majowie grali w grę zwaną tlachtli. Gra owa, rozgrywana gumową piłką na kamiennym boisku, przypominała nieco koszykówkę.

● Grę zwaną lacrosse wymyślili Irokezi z Ameryki Północnej. Jedna rozgrywka mogła trwać kilka godzin, a w każdym zespole mogło grać nawet 1000 osób!

Czym było święto głupców?

Święto głupców odbywało się w wielu częściach Europy tuż po Bożym Narodzeniu. Był to rodzaj zabawy, podczas której zwykli ludzie udawali, że są arystokratami lub księżmi, i płatali różne figle.

Czym były sztuki no?

No to japońskie sztuki, w których aktorzy noszą maski i poruszają się bardzo powoli, opowiadając różne historie za pomocą gestów i tańca. Po raz pierwszy zaprezentowano je w XIV wieku na dworze cesarza Japonii.

Gdzie była Winlandia?

Wikingowie ze Skandynawii byli pierwszymi Europejczykami, którzy przepłynęli przez Ocean Atlantycki i dotarli do Ameryki Północnej. Na początku XI wieku wylądowali gdzieś na wschodnim wybrzeżu Ameryki. Nazwali to miejsce Winlandią, bo znaleźli tam mnóstwo winorośli.

Nikt nie wie z całą pewnością, gdzie właściwie jest Winlandia, najprawdopodobniej jednak była to Nowa Fundlandia, leżąca obecnie na terenie Kanady. Naukowcy uważają, że tak naprawdę wikingowie znaleźli tam żurawinę lub agrest, a nie winorośl!

Kto wypływał na morze w dżonkach?

W XV wieku chińskie dżonki były największymi okrętami na świecie. Niektóre z nich były nawet pięć razy większe od okrętów budowanych w Europie.

Dżonka

Europejski okręt

● Marokańczyk zwany Ibn Battuta spędził na podróżach ponad 30 lat. Był na wschodzie, w Indiach, Chinach i na Sumatrze, oraz na południu, w Timbuktu, w Afryce. Żył w XIV wieku.

● Jednym z największych podróżników średniowiecza był pewien wenecjanin, Marco Polo. Podróż do Chin zajęła mu w owych czasach całe cztery lata.

● Polinezyjczycy pływali po ogromnym Oceanie Spokojnym w maleńkich łodziach zwanych kanu. Maorysi są potomkami Polinezyjczyków, którzy dotarli do Nowej Zelandii około 1000 lat temu.

Czy Sindbad istniał naprawdę?

Fascynujące przygody Sindbada Żeglarza zostały wymyślone w średniowieczu przez perskich pisarzy. Choć Sindbad był tylko ich wymysłem, w owym czasie żyło wielu ludzi, którzy odbywali niezwykłe podróże na lądzie i morzu.

Gdzie mieszkał Robin Hood?

Legenda mówi, że Robin Hood ukrywał się w lesie Sherwood, w pobliżu angielskiego miasteczka Nottingham. Robin i członkowie jego drużyny byli ludźmi wyjętymi spod prawa, bo rabowali bogatych, a ich pieniądze oddawali biednym.

- Czy rzeczywiście istniał człowiek zwany Robin Hoodem? Nikt nie wie tego na pewno. Niektórzy uważają, że był to niejaki Robert Fitzooh, hrabia Huntingdon.

- Ludzie już od XIV wieku powtarzają opowieści o Robin Hoodzie, jego drużynie i jego ukochanej Mariannie.

- Każdy lubi dobrą, wciągającą historię. Dzisiaj możemy czytać książki albo oglądać filmy. W średniowieczu ludzie uwielbiali słuchać gawędziarzy.

Kim była Joanna d'Arc?

Joanna była francuską chłopką, która żyła w czasach, gdy Anglia i Francja toczyły ze sobą wojnę. W 1429 roku, w wieku 17 lat, przebrała się za żołnierza i pomogła wyzwolić miasto Orlean spod angielskiej okupacji. Zaledwie rok później została schwytana i spalona na stosie.

Kim był nastoletni wojownik?

Temudżyn był synem przywódcy Mongołów, ludu ze środkowej Azji. Urodził się w 1162 roku i został wojownikiem, gdy miał zaledwie trzynaście lat, po śmierci swego ojca. Przyjął imię Czyngis-chan. Pod jego przywództwem Mongołowie podbili wiele krain w Azji.

Indeks

Większość ludów, państw i miejsc opisywanych w tej książce jest przedstawiona na mapce na stronach 4–5.